4 95

Recettes de

Pâtes

et pizzas

Jeanne HERTZOG

EDITIONS S.A.E.P.
INGERSHEIM 68000 COLMAR

✕	préparation très simple
✕✕	préparation facile
✕✕✕	préparation élaborée
○	peu coûteuse
○○	raisonnable
○○○	chère

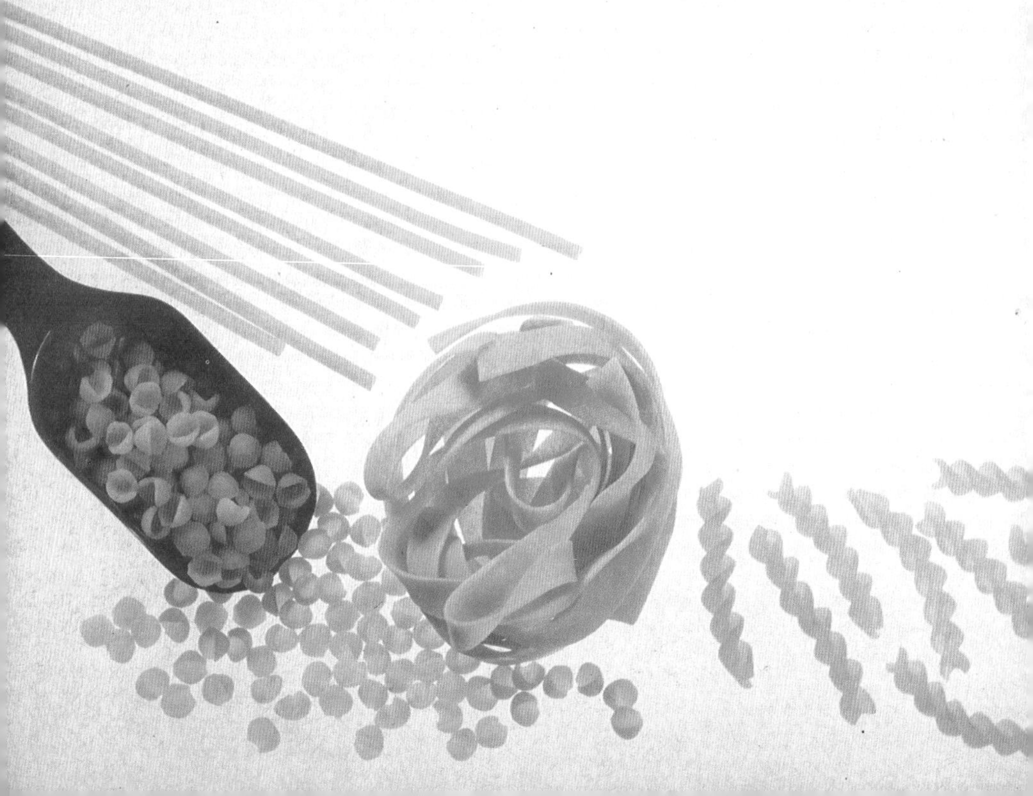

Annellini, vermicelles, fettucini, spaghetti, penne, rigatoni, spätzle, peponaki, farfalli, kolduny, ravioli, tortellini, cannelloni, fusilli, spirali... Plus de 150 sortes de pâtes existent. Nous vous proposons d'en accomoder une trentaine en potage, en salade, en soufflé, en gratin et en dessert.

Plat du pauvre à l'origine, la pizza, si elle est toujours constituée de pâte à pain, de tomates et d'olives, est apprêtée aujourd'hui de multiples façons, toutes aussi faciles et rapides à réaliser.

Bon appétit !

Quelques pâtes...	Temps de cuisson :
Annellini (petits anneaux) (25)	5-6 mn.
Avionnettes (23)	10-11 mn.
Cannelloni (5)	/
Cappelletti (9)	10-12 mn.
Céleris (18)	14-16 mn.
Coquillettes (12)	8-9 mn.
Coudes (13)	14-16 mn.
Eliche (torsades) (21)	10-11 mn.
Etoiles (26)	5-6 mn.
Farfalli (papillons) (22)	10 mn.
Fettucine (17)	6 mn.
Fusilli (20)	15 mn.
Lasagnes (4)	/
Lasagnettes (7)	/
Macaroni : Bucatini (3), Maccheroncini (2), Ziti (1)	10-14 mn.
Nouilles (11)	14 mn.
Nouilles chinoises (15)	5 mn.
Penne (plumes) (19)	8-9 mn.
Ravioli (8)	14 mn.
Rigatoni (18)	14-16 mn.
Spaghetti (6)	11 mn.
Spätzle (14)	14 mn.
Spirali (21)	10-11 mn.
Tagliatelles (16)	5 mn.
Tortellini (10)	12 mn.
Vermicelles (24)	4 mn.

14
12
12
17
16
13
18
11
19
20
23
21
9
10
25
24
8
26
6
7
4
5

Pâtes à pâtes

4 pers.
Prép. : 45 mn
Repos : 1 h. - Séchage : 3 h.

200 g. de farine	*3 œufs moyens*
100 g. de semoule	*1/2 coquille d'œuf d'eau.*

OU

300 g. de farine	*4 œufs moyens.*

Disposer la farine (et la semoule) en fontaine. Y verser les œufs battus en omelette et le sel dissout dans l'eau. Mélanger. Pétrir pour obtenir une pâte lisse et ferme.

L'envelopper dans un linge. Laisser reposer 1 heure.

Diviser la pâte. L'abaisser sur une surface farinée. Etendre les abaisses sur un linge et les laisser sécher pendant 1 heure. Les rouler sur elles-mêmes et les couper avec un couteau bien aiguisé en lanières d'1/2 cm. (nouilles fines) ou d'1 cm. (nouilles larges).

Dérouler et étaler les pâtes sur un grand linge fariné et les laisser sécher 2 heures avant de les faire cuire.

Pour conserver les nouilles (nouilles sèches), les laisser sécher complètement environ 24 heures. Les enfermer dans une boîte de fer blanc.

On peut également utiliser cette pâte pour faire des lasagnes.

Variantes :

Pâtes jaunes :

250 g. de farine
50 g. de semoule
3 œufs moyens
1 cuil. à soupe d'eau
2 cuil. à café de curry ou
1 capsule de safran
1 pincée de sel.

Pâtes oranges :

300 g. de farine
2 œufs moyens
5 cl. de jus de carottes
1 cuil. à café de sel.

Pâtes rouges :

300 g. de farine
3 œufs
2 cuil. à soupe de concentré de tomates
1 cuil. à café de sel.

Pâtes vertes :

250 g. de farine
1 œuf
200 g. d'épinards blanchis et bien égouttés
1 cuil. à café de sel.

Les nouilles peuvent être servies :

- parsemées de noisettes de beurre,
- saupoudrées de fromage râpé,
- arrosées de beurre fondu,
- saupoudrées de chapelure grillée au beurre,
- garnies de petits croûtons de pain frits au beurre,
- recouvertes de 2-3 poignées de nouilles fraîches grillées dans le beurre.

Quantités à prévoir :

- Pâtes fraîches : 75 g. par personne
- Pâtes sèches : 50 g. par personne.

Règles de cuisson des pâtes :

Utiliser :

- 1 litre d'eau pour 100 g. de pâtes, soit 10 fois le poids des pâtes,
- 1 cuil. à café de gros sel par litre d'eau,
- 1 à 2 cuil. à soupe d'huile pour éviter que les pâtes ne collent entre elles.

Verser les pâtes en pluie dans l'eau bouillante. Rétablir l'ébullition le plus rapidement possible. Après quelques bouillons, démêler les pâtes à l'aide d'une grande fourchette. Laisser cuire à feu moyen.

Les pâtes doivent être cuites "al dente", une expression italienne qui signifie qu'elles doivent encore légèrement résister sous les dents.

Ne pas laisser séjourner les pâtes dans l'eau de cuisson. Les réchauffer dans une poêle avec un peu de beurre, ou en les plongeant quelques secondes dans l'eau bouillante.

Consommé aux faux pois

4 pers.
Prép. : 20 mn. - Cuiss. : 10 mn.

---

100 g. de farine
2 œufs
Environ 5 cl. de lait
100 g. de beurre
1,5 l. de bouillon instantané
Sel, poivre
Pluches de cerfeuil.

Mélanger les œufs à la farine, assaisonner, ajouter le lait afin d'obtenir une pâte homogène un peu coulante.

Chauffer le beurre, y laisser couler la pâte à travers une passoire à gros trous, laisser dorer, puis égoutter.

Mettre les petites pâtes dans la soupière. Verser par-dessus le bouillon très chaud. Saupoudrer de cerfeuil haché.

Minestrone

4 pers.
Prép. : 30 mn. - Cuiss. : 1 h 45 mn.

---

1 tranche de pancetta ou de bacon
1 oignon
5 cl. d'huile d'olive
1 gousse d'ail
100 g. de tomates
2 pommes de terre
2 branches de céleri
1 poireau
100 g. de côtes de bettes
1 bol de haricots blancs frais
1/4 de chou
2 courgettes
1 poignée de haricots verts
1 poignée de petits pois écossés
150 g. de pennini
Persil, sauge, basilic
Sel, poivre
50 g. de parmesan râpé.

Faire rissoler la pancetta ou le bacon haché à l'huile, ajouter l'oignon émincé et l'ail haché, laisser prendre couleur. Ajouter les tomates pelées et épépinées, laisser fondre 10 minutes, puis adjoindre tous les légumes coupés en dés, les herbes hachées, le sel et le poivre. Mouiller de 2 litres d'eau chaude. Laisser mijoter doucement 1 heure 30 minutes.

10 minutes avant la fin de la cuisson, ajouter les pâtes. Servir avec le fromage.

Soupe aux légumes à l'italienne

6 pers.
Prép. : 20 mn. - Cuiss. : 1 h.

2 tomates
1 gousse d'ail
2 branches de persil
1 poireau
3 carottes
1 petit céleri
1 bol de petits pois écossés
3 bouquets de chou-fleur
60 g. de lard fumé
1 branche de marjolaine
2 cuil. à soupe d'huile d'olive
100 g. de petits coudes
Sel, poivre
50 g. de parmesan râpé.

Peler, épépiner les tomates, les hacher avec la gousse d'ail et le persil.
Nettoyer, laver, couper le céleri, le poireau et les carottes en julienne.
Faire fondre le lard dans une poêle, jeter le gras.
Verser tous les légumes et le lard dans 2 litres d'eau. Ajouter la marjolaine, l'huile d'olive, du sel et du poivre. Cuire à petit feu 45 minutes.
Mettre les pâtes dans la soupe, laisser mijoter 8-10 minutes.
Servir saupoudré de parmesan.

Soupe à la saucisse fumée

6 pers.
Prép. : 15 mn. - Cuiss. : 45 mn.

100 g. de gros coudes
6 saucisses fumées à cuire
3 poireaux
2 tomates
50 g. de beurre
1 cuil. à café de sel de céleri
1 cuil. à café de sel d'ail
1 pincée de macis
1 pincée de paprika
Sel, poivre
Persil haché.

Laver et émincer les poireaux.

Peler, épépiner et couper les tomates en dés.

Faire revenir doucement poireaux et tomates dans le beurre pendant 20 minutes. Mouiller avec 2 litres d'eau et laisser cuire 10 minutes.

Débarrasser les saucisses de leur peau, les couper en grosses rondelles et les verser dans la soupe. Ajouter les épices, sauf le sel, laisser cuire 10 minutes.

Cuire les coudes à l'eau bouillante salée pendant 10 minutes, les égoutter, puis les mélanger à la soupe. Saler.

Servir parsemé de persil.

Soupe à la hongroise

6 pers.
Prép. : 30 mn. - Cuiss. : 45 mn.

150 g. de lard fumé
500 g. de pommes de terre
Un peu de piment
Un peu de paprika
Un peu de marjolaine
100 g. de nouilles
Sel.
Pour accompagner :
Du pain paysan.

Couper les pommes de terre épluchées en petits dés. Faire fondre le lard en petits lardons dans une poêle. Jeter le gras.

Dans 2 litres d'eau salée, verser : les pommes de terre, le lard, le paprika, le piment, la marjolaine. Faire cuire à feu moyen 30 minutes.

Ajouter les nouilles, prolonger la cuisson de 10 minutes. Servir avec des tranches de pain paysan.

Soupe chinoise

4 pers.
Prép. : 15 mn. - Cuiss. : 30 mn.
Trempage : 1 h.

1,5 l. de bouillon
75 g. de champignons chinois séchés
1 oignon
1 cuil. à soupe d'huile
2 cuil. à soupe de sauce soja
100 g. de nouilles chinoises
125 g. de filet de porc.

Faire tremper les champignons à l'eau tiède pendant 1 heure, les égoutter et les hacher grossièrement.

Hacher l'oignon, le faire dorer à l'huile.

Porter le bouillon à ébullition, y verser les champignons et l'oignon, laisser cuire 15 minutes. Ajouter la sauce de soja et les pâtes, prolonger la cuisson de 10 minutes. Couper la viande en fines lamelles et l'ajouter à la soupe 3 minutes avant la fin de la cuisson.

Salade de macaroni à l'italienne

4 pers.
Prép. : 15 mn. - Cuiss. : 1 h.
Trempage : 1 nuit.

---

200 g. de haricots rouges secs
150 g. de ziti cassés
1 poivron jaune
1 oignon
200 g. de salami
1 gousse d'ail
3 cuil. à soupe d'huile d'olive
1 citron non traité
Sel, poivre.

La veille, faire tremper les haricots à l'eau froide. Les égoutter, les couvrir d'eau et les faire cuire 1 heure à feu doux. Saler en fin de cuisson.

Verser les haricots égouttés et refroidis dans un saladier. Ajouter l'huile et mélanger. Cuire les pâtes à l'eau bouillante salée, les égoutter et les refroidir.

Mélanger les haricots, les pâtes, la gousse d'ail finement hachée, le salami coupé en dés, poivrer. Répartir sur un plat. Couper le poivron épépiné et l'oignon en fines lamelles. En garnir la préparation. Arroser de jus de citron.

Salade de nouilles vertes au chou-fleur

✕○

4 pers.

Prép. : 30 mn. - Cuiss. : 25 mn.

---

200 g. de nouilles vertes
1/2 chou-fleur
2 tomates
1 oignon
Quelques feuilles de laitue
12 olives noires.

Vinaigrette :
4 cuil. à soupe d'huile
2 cuil. à soupe de vinaigre
1 cuil. à soupe de moutarde
Sel, poivre.

Cuire les nouilles 12 minutes à l'eau salée, les égoutter et les rafraîchir. Nettoyer le chou-fleur, le faire blanchir 15 minutes à l'eau salée (il faut qu'il reste un peu croquant). L'égoutter et en détacher les bouquets.

Garnir un plat avec la laitue lavée et égouttée. Disposer dessus les pâtes, puis le chou-fleur. Parsemer de lamelles d'oignon. Décorer avec les tomates coupées en quartiers et les olives. Arroser de vinaigrette.

Salade de pâtes à la sauce aux asperges

4 pers.
Prép. : 15 mn. - Cuiss. : 10 mn.

---

250 g. de farfalli
100 g. de petits pois écossés.
Sauce aux asperges :
100 g. de pointes d'asperges
2 yaourts nature
5 cl. de crème fraîche
Sel, poivre
Ciboulette.

Cuire séparément les pointes d'asperges et les petits pois, à l'eau bouillante salée, pendant 10 minutes. Egoutter. Laisser refroidir.

Mixer les asperges, les yaourts et la crème ; saler, poivrer.

Mélanger les pâtes, les petits pois et la sauce. Servir très frais, saupoudré de ciboulette ciselée.

Salade de spaghetti charcutière

6 pers.
Prép. : 20 mn.

---

250 g. de spaghetti cuits
300 g. de saucisse de viande
6 cornichons
6 œufs durs
3 tomates.
Vinaigrette :
4 cuil. à soupe d'huile
2 cuil. à soupe de vinaigre
Sel, poivre
Fines herbes.

Mélanger les éléments de la vinaigrette.

Couper la saucisse en fines lamelles. La mélanger aux pâtes. Arroser de vinaigrette.

Garnir de rondelles de cornichons, de tomates et de quartiers d'œufs durs. Saupoudrer de fines herbes hachées.

Salade mêlée aux coquillettes

4 pers.
Prép. : 30 mn.

150 g. de coquillettes cuites
2 cornichons à l'aigre-doux
100 g. de jambon blanc
100 g. de gruyère.
Vinaigrette :
3 cuil. à soupe d'huile
2 cuil. à soupe de vinaigre aux herbes
Sel, poivre.
Pour décorer :
4 tomates moyennes
2 œufs durs
Fines herbes.

Mélanger l'huile, le vinaigre, le sel et le poivre.

Couper les cornichons, le jambon et le gruyère en petits dés. Ajouter les pâtes et la vinaigrette, mélanger.

Dresser sur un plat. Garnir avec des quartiers de tomates et d'œufs durs. Saupoudrer de fines herbes hachées. Servir frais.

Gratin aux anneaux

4 pers.
Prép. : 30 mn. - Cuiss. : 1 h 05 mn.

200 g. d'annellini	*400 g. de jambon blanc*
40 g. de beurre	*50 g. de gruyère râpé*
2 œufs	*Sel, poivre.*

Cuire les anneaux 5 minutes à l'eau bouillante salée, les égoutter.

Battre 30 g. de beurre ramolli en mousse, ajouter les jaunes d'œufs, le jambon, les pâtes refroidies, le fromage râpé, le sel et le poivre.

Monter les blancs d'œufs en neige ferme. Mélanger aux pâtes en soulevant.

Verser dans un moule à soufflé beurré. Cuire 1 heure au four au bain-marie, th. 6.

Avionnettes aux trois poivrons

4 pers.
Prép. : 30 mn. - Cuiss. : 45 mn.

---

250 g. d'avionnettes
100 g. de gruyère ou parmesan râpé.
Sauce aux poivrons :
3 cuil. à soupe d'huile d'olive
1 oignon
300 g. de tomates
1 poivron rouge
1 poivron vert
1 poivron jaune
5 cl. de purée de tomates
1 cuil. à café de sucre semoule
Basilic
Sel, poivre.

Découper, épépiner et couper les poivrons en fines lamelles.

Faire fondre l'oignon haché dans l'huile. Ajouter les poivrons et laisser cuire doucement 10 minutes.

Peler, épépiner les tomates, les mettre avec les poivrons. Ajouter sel, poivre, sucre et la purée de tomates. Laisser mijoter à feu doux 30 minutes.

Cuire les pâtes à l'eau bouillante salée, les égoutter.

Arroser avec la sauce. Saupoudrer de basilic haché. Servir le fromage en accompagnement.

Cannelloni à la cervelle

6 pers.
Prép. : 1 h. - Cuiss. : 45 mn.

---

500 g. de pâte (p.6).
Farce :
50 g. de margarine
2 cervelles de veau (400 g. environ)
300 g. de jambon
1 oignon
Quelques branches de persil
5 cl. de crème fraîche
50 g. de gruyère râpé
15 cl. de bouillon instantané
200 g de sauce tomate
Sel, poivre
50 g. de parmesan râpé
20 g. de beurre.

Faire dégorger les cervelles à l'eau froide pendant 30 minutes. Enlever les membranes et les déchets.

Mettre l'oignon haché dans la margarine chaude. Lorsqu'il est translucide, ajouter les cervelles, le jambon et le persil hachés, la crème, le sel et le poivre. Cuire 5 minutes, laisser refroidir, puis incorporer le gruyère.

Abaisser finement la pâte, la découper en rectangles de 8/10 cm. Cuire les cannelloni. Les laisser sécher sur un linge. Réserver un bol de farce. Répartir le reste sur les pâtes, les rouler et les ranger dans un plat à gratin beurré.

Délayer la farce réservée avec le bouillon et la sauce tomate, verser sur les cannelloni. Saupoudrer de parmesan. Faire gratiner au four 20 minutes, th. 7.

Il existe des cannelloni tout prêts dans le commerce.

Cappelletti aux épinards

6 pers.
Prép. : 1 h. - Cuiss. : 1 h. - Repos : 1 h.

500 g. de pâte (p. 6).
Farce :
100 g. de lard fumé
750 g. d'épinards
1 oignon
1 gousse d'ail
10 cl. de crème fraîche
1 cuil. à soupe de farine
Noix de muscade râpée
Sel, poivre.
Sauce :
15 cl. de lait
2 jaunes d'œufs
50 g. de gruyère râpé
Sel, poivre.

Blanchir les épinards. Les égoutter et les hacher.

Couper le lard en petits dés. Le faire rissoler, ajouter l'oignon et l'ail hachés, laisser étuver 10 minutes. Ajouter les épinards, les épices, la crème, saupoudrer de farine en mélangeant et cuire 10 minutes à feu doux.

Abaisser finement la pâte. Y découper des carrés de 5 cm. de côté. Disposer 1 cuillerée à café de farce au centre, badigeonner les bords avec un pinceau mouillé, replier le carré puis coller. Laisser reposer 1 heure.

Cuire les cappelletti 15 minutes à l'eau bouillante salée. Les égoutter et les verser dans un plat.

Battre les jaunes d'œufs avec le lait, saler, poivrer. Chauffer en remuant. Oter du feu avant l'ébullition. Verser sur les cappelletti, saupoudrer de fromage. Faire gratiner au four 20 minutes, th. 6.

Gros céleris au ricotta

4 pers.
Prép. : 20 mn. - Cuiss. : 30 mn.

---

250 g. de pâtes gros céleris
1 cuil. à soupe d'huile
200 g. de danois (sorte de salami)
100 g. de lard fumé
1 oignon
2 œufs
200 g. de ricotta (fromage de brebis frais)
Sel, poivre
Persil haché
20 g de beurre.

Découper le lard en petits lardons. Les faire dorer à l'huile avec l'oignon haché, puis laisser mijoter 10 minutes à petit feu.

Ecraser le fromage à la fourchette, le mélanger avec les œufs battus. Assaisonner.

Faire cuire les pâtes dans de l'eau bouillante salée. Les égoutter.

Mélanger les lardons et le fromage aux pâtes. Verser dans un plat beurré. Entourer de salami roulé en cornets. Saupoudrer de persil. Faire gratiner au four 10 minutes, th. 8.

Coquillettes aux poissons

4 pers.
Prép. : 20 mn. - Cuiss. : 30 mn.

---

250 g. de coquillettes
600 g. de filets de poissons (colin, flétan, merlan, etc.)
70 g. de beurre
1 oignon
2 blancs de poireaux
2 carottes
1/4 de céleri-rave
Sel de céleri, d'ail et d'oignon
Sel et poivre
50 g. de gruyère râpé
20 g. de farine.

Faire revenir les légumes coupés en julienne dans 50 g. de beurre.

Après 10 minutes de cuisson, ajouter le poisson coupé en morceaux, l'assaisonnement et 2 verres d'eau. Laisser frémir 10 minutes.

Malaxer 20 g. de beurre et 20 g. de farine. Ajouter le beurre manié obtenu à la sauce. Remuer.

Cuire les coquillettes à l'eau bouillante salée, les égoutter et les verser dans un plat beurré. Recouvrir avec la sauce, parsemer de gruyère. Faire gratiner au four 10 minutes, th. 7.

Concombres farcis

4 pers.
Prép. : 30 mn. - Cuiss. : 40 mn.

---

4 concombres
150 g. de coquillettes
6 cuil. à soupe d'huile
1 noix de beurre
1 oignon
150 g. de viande hachée
1 petite boîte de purée de tomates
10 cl. de bouillon instantané
Sel, poivre
100 g. de gruyère râpé.

Cuire les coquillettes à l'eau salée et les égoutter.

Faire revenir l'oignon émincé et la viande à l'huile. Ajouter la purée de tomates, la moitié des pâtes et 50 g. de gruyère ; saler, poivrer.

Couper les concombres non pelés en deux dans le sens de la longueur, les évider, les farcir avec la préparation.

Disposer les concombres dans un plat à four beurré. Faire cuire au four 30 minutes, th. 6-7, en arrosant de temps en temps avec un peu d'huile. A mi-cuisson verser le bouillon dans le plat.

Servir le reste de pâtes et de gruyère séparément.

Pudding de coquillettes au fromage de chèvre

4 pers.
Prép. : 20 mn. - Cuiss. : 1 h.

---

500 g. de coquillettes
20 g. de beurre
20 g. de farine
15 cl. de lait
5 cl. de crème
2 jaunes d'œufs
1 cuil. à soupe de moutarde
Sel, poivre
2 crottins de chèvre très secs.

Cuire les pâtes 5 minutes à l'eau salée et les égoutter.

Faire fondre le beurre, y verser la farine. Délayer avec le lait chaud, saler et poivrer. Cuire 10 minutes à feu doux en remuant. Ajouter les jaunes d'œufs mélangés avec la moutarde et la crème. Hors du feu, l'ajouter aux pâtes. Faire cuire au bain-marie 45 minutes à four th. 7, dans un moule à gratin beurré.

Râper le fromage à la dernière minute (pour éviter qu'il ne devienne rance) et en saupoudrer le pudding au moment de servir.

Coudes aux salsifis

4 pers.
Prép. : 45 mn. - Cuiss. : 1 h.

---

250 g. de coudes
30 g. de beurre
30 g. + 20 g. de farine
200 g. de jambon
500 g. de salsifis
20 cl. de lait
5 cl. de crème fraîche
2 jaunes d'œufs
1 citron
Sel, poivre
50 g. de gruyère râpé.

Délayer 20 g. de farine avec le jus du citron, ajouter 1,5 litre d'eau et du sel.

Gratter et laver les salsifis. Les mettre au fur et à mesure dans l'eau citronnée. Lorsqu'ils sont tous prêts, les couper en tronçons et les remettre dans l'eau.

Porter à ébullition, laisser cuire à feu doux 30 minutes.

Préparer un roux avec 30 g. de farine et le beurre. Délayer avec le lait, y verser les salsifis égouttés, rectifier l'assaisonnement. Incorporer les jaunes d'œufs battus avec la crème.

Cuire les coudes et les égoutter. Les mettre par couches dans un plat à gratin en alternant avec les salsifis et le jambon coupé en dés. Terminer par les pâtes et parsemer de gruyère. Placer au four pour 30 minutes, th. 7.

Eliche aux chanterelles

4 pers.
Prép. : 30 mn. - Cuiss. : 25 mn.

---

250 g. d'éliche (torsades)	*4 fines tranches de jambon cuit*
3 cuil. à soupe d'huile	*10 cl. de crème fraîche*
1 oignon	*Sel, poivre*
600 g. de chanterelles	*Cerfeuil.*

Nettoyer, laver les champignons, les couper en deux. Faire blondir l'oignon haché dans l'huile, ajouter les champignons, saler et poivrer. Cuire 15 minutes à feu doux.

Couper le jambon en fines lamelles, l'ajouter aux champignons. Laisser cuire 1 minute. Ajouter la crème et saupoudrer de cerfeuil haché.

Verser sur les pâtes cuites à l'eau salée et bien égouttées.

Fettucine au thon

4 pers.
Prép. : 20 mn. - Cuiss. : 40 mn.

250 g. de fettucine	*10 cl. de bouillon*
3 cuil. à soupe d'huile d'olive	*Origan, basilic*
4 tomates	*Ail en poudre*
1 boîte de thon au naturel (425 g.)	*Sel, poivre*
100 g. de champignons	*100 g. de parmesan râpé.*

Peler et épépiner les tomates. Les faire réduire avec l'huile pendant 15 minutes. Ajouter les champignons lavés, nettoyés et coupés en lamelles, laisser mijoter 10 minutes.

Ajouter le thon égoutté, le bouillon, les épices, les herbes et continuer la cuisson 5 minutes.

Cuire les pâtes dans de l'eau bouillante salée, les égoutter. Les verser dans le plat de service chaud. Napper de sauce.

Servir avec du parmesan.

Fusilli à la sauce piquante

4 pers.
Prép. : 30 mn. - Cuiss. : 30 mn.

250 g. de fusilli
150 g. de petit salé
400 g. de chair à farce
250 g. de tomates bien mûres
1 oignon, 1 gousse d'ail
1 cuil. à soupe d'huile d'olive
1 pincée de paprika
1/2 piment de Cayenne
1 cuil. à café d'herbes de Provence
Sel
100 g. de parmesan râpé
200 g de sauce tomate (p. 50).

Faire rissoler le petit salé détaillé en lardons dans la poêle contenant l'huile. Ajouter l'oignon et l'ail finement hachés, les tomates pelées et épépinées, la chair à farce, les épices. Laisser mijoter 20 minutes. Cuire les fusilli "al dente".

Dresser les pâtes égouttées, napper de sauce et servir, saupoudré de parmesan.

Fusilli aux ris de veau et girolles

4 pers.
Prép. : 15 mn. - Cuiss. : 30 mn.

---

250 g. de fusilli
600 g. de ris de veau
250 g. de girolles
50 g. de margarine
1 oignon
10 cl. de crème fraîche
Sel, poivre
Citron, persil.

Faire dégorger le ris de veau dans de l'eau froide 30 minutes. L'égoutter et le couper en dés. Laver et nettoyer les girolles.

Faire dorer l'oignon haché dans la margarine. Ajouter le ris de veau et les champignons. Saler et poivrer. Cuire doucement 20 minutes. Si la sauce est trop réduite, ajouter un peu d'eau ou de bouillon. En fin de cuisson, lier avec la crème et assaisonner.

Verser sur les nouilles cuites à l'eau bouillante salée et égouttée. Servir saupoudré de persil haché et entouré de rondelles de citron.

Kolduny

4 pers.
Prép. : 1 h. - Cuiss. : 30 mn.

Pâte :
300 g. de farine
1/8 l. de crème fraîche aigre
80 g. de beurre
Farce :
400 g. de bœuf haché
75 g. de moelle
1 oignon
Sel, poivre
20 cl. de crème aigre
50 g. de beurre.

Travailler la farine, la crème et le beurre fondu. Laisser reposer 1 heure. L'abaisser finement. Y découper des ronds.

Bien mélanger la viande avec la moelle et l'oignon émincé. Saler, poivrer et ajouter 2 cuillères à soupe de crème.

Poser 1 cuillère à soupe de farce sur une moitié de pâte. Badigeonner les bords à l'eau. Rabattre la 2e partie de pâte. Souder les bords.

Faire cuire à l'eau bouillante salée 15 minutes. Egoutter les pâtes et les ranger dans un plat. Les arroser de crème chaude et de beurre noir.

Lasagnes au poisson

4 pers.
Prép. : 15 mn. - Cuiss. : 1 h.

200 g. de lasagnes ou de lasagnettes
500 g. de filet de cabillaud
Le jus d'1 citron
30 g. de beurre
6 tomates
50 cl. de bouillon instantané
2 œufs
Sel, poivre
Basilic et persil
50 g. de gruyère râpé.

Arroser les poissons de jus de citron. Les faire pocher 5 minutes dans le bouillon. Réserver 1 bol de bouillon.

Dans un plat à gratin, disposer en couches les lasagnes cuites et égouttées, le poisson en morceaux, des tranches de tomates pelées et épépinées. Terminer par des lasagnes. Parsemer de noisettes de beurre, de fromage râpé et d'herbes hachées. Battre les œufs avec le bouillon refroidi. Poivrer et en arroser les lasagnes. Cuire au four 30 minutes, th. 7.

Macaroni à l'indienne

4 pers.
Prép. : 15 mn. - Cuiss. : 30 mn.

---

250 g. de ziti
30 g. de beurre
30 g. de farine
1 cuil. à soupe de curry
1/2 l. de bouillon
1 boîte 1/4 de champignons
300 g. de poulet cuit
300 g. de veau cuit
5 cl. de crème fraîche
50 g. d'amandes effilées
Sel, poivre.

Préparer un roux blond avec le beurre et la farine. Mouiller avec le bouillon, ajouter le curry, les champignons égouttés, le sel et le poivre.

Emincer la viande, l'ajouter dans la sauce. Cuire 15 minutes à feu doux. Ajouter la crème. Verser sur les ziti cuites et égouttées.

Parsemer d'amandes dorées au four au moment de servir.

Macaroni aux foies de volaille

4 pers.
Prép. : 15 mn. - Cuiss. : 10 mn.

---

250 g. de bucatini
600 g. de foies de volaille
50 g. de beurre
1 cuil. à soupe d'huile
1 oignon
1 cuil. à café de farine
10 cl. de vin rouge
10 cl. de bouillon de bœuf instantané
Sel, poivre
Persil.

Chauffer le beurre et l'huile. Y faire revenir l'oignon haché et les foies de volaille coupés en dés. Saler, poivrer et saupoudrer de farine. Ajouter le vin et le bouillon, remuer et laisser cuire 5 minutes.

Verser sur les bucatini cuits et égouttés. Saupoudrer de persil haché.

Macaroni à la grecque

4 pers.
Prép. : 30 mn. - Cuiss. : 50 mn.

---

250 g. de maccheroncini
600 g. de blancs de seiches
10 cl. d'huile
1 oignon
10 cl. de vin rouge
1 feuille de laurier
2 cuil. à soupe de purée de tomates
1 tasse de chapelure
Sel, poivre
Persil.

Hacher grossièrement les blancs de seiches.

Faire dorer l'oignon haché à l'huile, ajouter la seiche, le vin, la purée de tomates diluée avec 1 verre d'eau, la feuille de laurier, sel et poivre. Cuire à feu doux 45 minutes.

Cuire les pâtes à l'eau bouillante salée. Les égoutter. Les verser dans un plat, les saupoudrer de chapelure. Recouvrir de sauce et parsemer de persil haché.

Nouilles à la japonaise

4 pers.
Prép. : 30 mn. - Cuiss. : 40 mn.

---

250 g. de nouilles fraîches (p. 6)
2 cuil. à soupe d'huile
400 g. de viande de porc maigre
1 petite boîte de champignons japonais
1 petite boîte de pointes d'asperges
1 petite boîte de pousses de bambous
1 bol de petits pois écossés
1 blanc de poireau
2 cuil. à soupe de sauce de soja
Sel, poivre.

Faire revenir la viande coupée en fines lamelles à l'huile chaude. Ajouter le poireau nettoyé, lavé et coupé en petites rondelles, laisser cuire 10 minutes en remuant. Ajouter 1 verre d'eau et les petits pois, prolonger la cuisson de 10 minutes.

Egoutter les champignons, les pointes d'asperges et les pousses de bambous. Couper ces dernières en petits morceaux. Joindre le tout au contenu de la casserole. Saler, poivrer, parfumer avec la sauce de soja. Laisser mijoter 15 minutes.

Servir sur les nouilles cuites à l'eau salée et égouttées.

Nouilles grecques

4 pers.
Prép. : 45 mn. - Cuiss. : 45 mn.

---

250 g. de peponaki, kritharaki ou guvetsi (nouilles grecques)
750 g. de mouton
50 g. de beurre
1 cuil. à soupe d'huile
1 petite boîte de purée de tomates
1 oignon
Sel, poivre
Jeunes pousses de céleri-rave.

Chauffer le beurre et l'huile. Y faire dorer l'oignon finement haché et la viande coupée en petits dés. Couvrir d'eau à niveau, ajouter la purée de tomates. Saler, poivrer. Cuire 30 minutes en remuant sans arrêt.

Verser les pâtes dans la sauce, laisser cuire 10-12 minutes en ajoutant de l'eau si nécessaire.

Parsemer de pousses de céleri hachées et servir.

Nids chinois (ch'ao mien)

4 pers.
Prép. : 30 mn. - Cuiss. : 35 mn.

---

250 g. de nouilles chinoises
15 cl. d'huile végétale
400 g. d'escalopes de porc
1 céleri en branches
200 g. de champignons
200 g. de langoustines
2 échalotes
1 oignon
2 cuil. à soupe de sauce de soja
1 cuil. à soupe de maïzena
Sel, poivre.

Cuire les nouilles, les rincer sous l'eau courante, bien les égoutter.

Diviser les nouilles en 4 portions, les rouler en boule et les creuser au centre.

Couper le céleri, émincer les champignons, les échalotes et les oignons, cuire dans un peu d'huile 15 minutes à feu doux. Ajouter la viande coupée en fines lamelles, les langoustines, la sauce de soja, le sel et le poivre. Prolonger la cuisson 5 minutes. Lier la sauce avec la maïzena délayée dans 15 cl. d'eau. Laisser épaissir puis emplir les nids avec la préparation.

Chauffer de l'huile dans une poêle et y faire dorer les nids.

Potée d'Arabie

✕ ∞

4 pers.
Prép. : 30 mn. - Cuiss. : 1 h 15 mn.

250 g. de nouilles larges
3 poivrons rouges
750 g. de mouton
4 tomates
3 gousses d'ail
3 oignons
Un peu de piment
10 cl. d'huile d'olive
Sel, poivre
Cerfeuil.

Peler, épépiner et couper les tomates en dés. Eplucher les poivrons et les couper en lanières. Hacher grossièrement les oignons et les gousses d'ail épluchés.

Faire revenir à l'huile la viande coupée en gros dés, puis les légumes. Verser le tout dans une casserole, ajouter le piment, le sel, le poivre et 1/2 litre d'eau. Couvrir et cuire à feu doux pendant 1 heure.

Cuire les pâtes, les égoutter et les ajouter à la potée. Dès la reprise de l'ébullition, retirer du feu et servir, saupoudré de cerfeuil haché.

Nouilles aux rognons et aux champignons

4 pers.
Prép. : 30 mn. - Cuiss. : 25 mn.

250 g. de nouilles
800 g. de rognons de veau
250 g. de champignons de Paris
1 oignon
50 g. de beurre
1 cuil. à café de farine
10 cl. de vin blanc
5 cl. de crème fraîche
Sel, poivre
Persil.

Faire dorer la moitié de l'oignon haché dans 20 g. de beurre. Ajouter les champignons émincés, saler, poivrer, cuire 15 minutes à feu doux. Mouiller s'il le faut d'un peu d'eau en cours de cuisson. A la fin, verser la crème.

Faire revenir le reste d'oignon haché et les rognons coupés en fines lamelles dans le beurre. Saupoudrer de farine, mouiller avec le vin, saler, poivrer, laisser cuire doucement 5 minutes.

Cuire les nouilles. Les égoutter et les verser dans un plat. Les recouvrir avec les rognons puis avec les champignons. Saupoudrer de persil haché.

Rigatoni aux moules

4 pers.
Prép. : 45 mn. - Cuiss. : 45 mn.

250 g. de rigatoni
1,5 kg. de moules
2 cuil. à soupe d'huile d'olive
1 verre de vin blanc
1 bouquet garni
1 petit oignon
1 gousse d'ail
500 g. de tomates
2 cuil. à soupe de crème épaisse
Sel, poivre
Persil
100 g. de gruyère.

Laver et gratter les moules. Les faire ouvrir dans une casserole à feu vif avec le vin et le bouquet garni. Les retirer, ôter les coquilles, passer le jus.

Faire blondir à l'huile l'oignon et l'ail hachés. Ajouter les tomates pelées et épépinées, saler très peu, poivrer. Cuire 30 minutes à feu doux.

Passer la sauce au mixer, ajouter 1 bol de jus des moules et les moules. Ajouter la crème. Cuire les pâtes, les égoutter, les verser dans un plat. Répartir dessus les moules et la sauce. Saupoudrer de persil haché et de gruyère râpé.

Ravioles aux oignons

6 pers.
Prép. : 1 h. - Cuiss. : 1 h.

500 g. de pâtes fraîches (p. 6)
1 kg. d'oignons
3 cuil. à soupe de graisse d'oie
1 cuil. à soupe de farine
1 œuf + 1 blanc d'œuf
Sel, poivre
50 g. de beurre
Petits croûtons frits.

Hacher très finement les oignons épluchés. Les dorer dans la graisse d'oie puis laisser cuire tout doucement pendant 1 heure en remuant très souvent.

Lier la purée d'oignon tiédie avec 1 cuillère de farine et 1 œuf. L'assaisonner.

Etaler finement la pâte. Y découper des carrés de 6 à 8 cm. de côté. Y déposer 1 cuillère à café de farce sur chaque carré de pâte. Badigeonner les bords avec du blanc d'œuf légèrement battu. Plier et pincer les bords ensemble.

Faire cuire les pâtes 15 minutes dans de l'eau salée. Les égoutter et les verser dans un plat. Arroser de beurre fondu et parsemer de croûtons frits.

Ravioli à l'italienne

6 pers.
Prép. : 1 h. - Cuiss. : 1 h.

900 g. de pâte fraîche (p. 6)
Farce :
600 g. de poulet cuit et désossé
100 g. de mortadelle
100 g. de jambon de Parme
2 œufs
1 oignon
1 gousse d'ail
50 g. de chapelure
Persil et thym frais
Sel, poivre
30 g. de beurre
50 g. de parmesan râpé.

Hacher la viande, la mortadelle, le jambon, l'oignon, l'ail et les herbes. Mélanger avec la chapelure, 2 jaunes d'œufs et 1 blanc, le sel et le poivre.

Diviser la pâte en 2 parties et l'aplatir finement. Marquer à l'aide d'une roulette des carrés de 2,5 cm environ. Poser au centre de chaque carré 1 cuillère à café de farce. Badigeonner les bords avec un pinceau trempé dans du blanc d'œuf légèrement battu. Recouvrir de la 2e abaisse. Coller les bords en les pinçant ensemble avec les doigts. Découper les carrés de ravioli avec la roulette. Laisser sécher 2 heures en couvrant d'un linge.

Faire bouillir 6 litres d'eau salée et y cuire en plusieurs fois les ravioli 20 minutes. Les égoutter. Servir recouvert de beurre fondu et de parmesan râpé.

On peut aussi servir les ravioli recouverts de sauce tomate.
Il existe dans le commerce un moule spécial qui facilite la confection des ravioli.

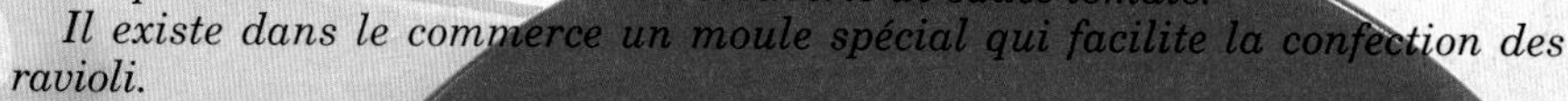

Gratin de spaghetti à la hollandaise

4 pers.
Prép. : 30 mn. - Cuiss. : 40 mn.

250 g. de spaghetti
4 œufs durs
2 oignons
50 g. de beurre
30 g. de farine
1/4 l. de lait
1 jaune d'œuf
1 cuil. à soupe de moutarde
200 g. de gouda
Sel, poivre.

Faire fondre 30 g. de beurre. Verser la farine en tournant. Délayer avec 20 cl. de lait, saler, poivrer, laisser épaissir doucement 10 minutes en remuant de temps en temps. Hors du feu incorporer le jaune d'œuf dilué avec le reste de lait et la moutarde.

Cuire les pâtes 7 minutes à l'eau bouillante salée, les égoutter.

Beurrer un plat à gratin et y disposer en couches successives : la moitié des pâtes, les œufs durs coupés en rondelles, la sauce, 100 g. de gouda en fines tranches, le reste de pâtes, le gouda restant râpé. Parsemer de rondelles d'oignons frites au beurre.

Faire gratiner au four 25 minutes, th. 7.

Spaghetti à la carbonara

4 pers.
Prép. : 15 mn. - Cuiss. : 20 mn.

250 g. de spaghetti
2 cuil. à soupe d'huile d'olive
400 g. de lard fumé
4 jaunes d'œufs
100 g. de crème fraîche épaisse
100 g. de parmesan râpé
Sel, poivre.

Cuire les pâtes, les égoutter.

Couper le lard en petits dés. Faire revenir les lardons dans 1 cuillère d'huile. Les égoutter et ajouter les pâtes. Verser le reste d'huile, tenir sur feu doux.

Battre les jaunes d'œufs avec la crème, poivrer. Verser sur les pâtes. Remuer en soulevant à l'aide de 2 fourchettes, jusqu'à ce que la sauce épaississe et enrobe les pâtes.

Verser dans un plat chauffé et couvrir de parmesan râpé.

Spaghetti à la bolognaise

4 pers.
Prép. : 30 mn. - Cuiss. : 1 h.

---

250 g. de spaghetti
250 g. de bœuf haché
100 g. de porc haché
100 g. de jambon cru
200 g. de purée de tomates
30 g. de beurre
2 cuil. à soupe d'huile d'olive
75 g. d'oignon
1 gousse d'ail
75 g. de carotte
50 g. de céleri-rave
5 cl. de vin blanc sec
1 cube de bouillon de bœuf
1 brin de laurier
Un peu de thym, romarin et sauge
Sel, poivre
50 g. de parmesan.

Faire revenir 10 minutes au beurre le jambon haché,ajouter l'oignon émincé, la carotte et le céleri hachés et l'ail pilé. Faire revenir les viandes à l'huile. Ajouter les épices et le vin. Laisser réduire. Mélanger avec les légumes. Incorporer la purée de tomates, le cube de bouillon et 1/4 litre d'eau. Laisser mijoter 45 minutes. Verser les spaghetti cuits et égouttés dans un plat creux. Arroser avec la sauce. Servir avec le parmesan.

Spätzle au fromage

4 pers.
Prép. : 40 mn. - Cuiss. : 30 mn.
Repos : 2 h.

500 g. de farine
5 œufs
1/4 l. de lait ou d'eau
250 g. d'emmental râpé
125 g. de beurre
Sel
2 gros oignons.

Mélanger le lait ou l'eau avec la farine, les œufs battus en omelette et un peu de sel. Battre le tout. Laisser reposer 2 heures en couvrant.

Faire bouillir 5 litres d'eau salée. Plonger rapidement une planchette dans l'eau bouillante. Y étaler de petites quantités de pâte. Détacher avec un couteau humide de petites lamelles de pâte et les faire tomber dans l'eau. Dès qu'elles remontent à la surface (environ 1 minute), les sortir avec l'écumoire, les passer dans une casserole d'eau froide, puis les égoutter.

Dans un plat chaud, mettre par couches les spätzle et l'emmental râpé. Parsemer de noisettes de beurre. Enfourner th. 7, 10 minutes. Peler et couper les oignons en lamelles. Les faire dorer au beurre. Verser sur les spätzle et servir aussitôt.

Spirali à la sauce au lard

4 pers.
Prép. : 20 mn. - Cuiss. : 30 mn.

---

250 g. de spirali
Sel
50 g. de gruyère râpé
Ciboulette.
Sauce :
20 g. de margarine
1 oignon
250 g. de lard fumé
1 verre de vin blanc
2 jaunes d'œufs
Sel, poivre.

Couper le lard en petits dés. Le faire rissoler à la poêle, jeter la graisse.

Mettre dans la poêle la margarine et l'oignon finement haché, laisser prendre couleur, mouiller avec le vin blanc. Cuire 15 minutes à petit feu. Saler et poivrer en fin de cuisson. Verser les jaunes d'œufs dans un légumier. Ajouter la sauce en tournant.

Cuire les pâtes, les égoutter et les mélanger à la sauce. Saupoudrer de ciboulette ciselée. Accompagner de fromage râpé.

Tagliatelles aux crevettes

4 pers.
Prép. : 30 mn. - Cuiss. : 20 mn.

---

250 g. de tagliatelles
600 g. de crevettes roses décortiquées
30 g. de beurre
1 cuil. à soupe de farine
Sel, poivre
1 citron
1 jaune d'œuf dilué avec 2 cuil. à soupe de lait
Ciboulette.

Fumet de poisson :
500 g. de parures de poissons
1 bouquet garni
20 g. de beurre
1 échalote
1 carotte
1 blanc de poireau
Sel, poivre.

Hacher les légumes du fumet et les faire suer 5 minutes au beurre. Ajouter les parures de poissons, le bouquet garni, sel, poivre, recouvrir d'eau. Laisser cuire 20 minutes. Préparer un roux blond avec le beurre et la farine. Verser le fumet passé en remuant, laisser mijoter 10 minutes. Ajouter les crevettes, un peu de jus de citron et le jaune d'œuf quelques instants avant de retirer la sauce du feu. Cuire les pâtes à l'eau salée et les égoutter. Verser les crevettes et la sauce sur les pâtes. Parsemer de ciboulette hachée.

Tagliatelles aux aubergines

4 pers.
Prép. : 30 mn. - Cuiss. : 1 h 15 mn.

---

250 g. de tagliatelles
500 g. de tomates
10 cl. d'huile d'olive
1 oignon
1 carotte
1/4 de céleri-rave
1 gousse d'ail
1 morceau de sucre
500 g. de grosses aubergines
Basilic
Sel, poivre
100 g. de parmesan.

Faire dorer l'oignon haché dans un peu d'huile, ajouter la carotte et le céleri coupés en dés, laisser suer 2 minutes. Ajouter les tomates pelées et épépinées, l'ail écrasé, le sucre, le sel et le poivre. Cuire à couvert, à petit feu, pendant 1 heure. Couper les aubergines en tranches épaisses. Les faire frire à la poêle dans l'huile bien chaude, les saler, les égoutter sur du papier absorbant.

Cuire les pâtes, les égoutter, les verser dans un plat, les arroser de sauce. Entourer de rondelles d'aubergines, saupoudrer de parmesan. Faire gratiner sous le grill du four 2-3 minutes.

Pour servir, décorer de feuilles de basilic ciselées.

Tortellini farcis à la viande

XX ○○○

6 pers.
Prép. : 1 h. - Cuiss. : 45 mn.

---

500 g. de pâte fraîche (p. 6)
150 g. de viande de veau
150 g. de viande de bœuf
100 g. de jambon
50 g. de beurre
1 oignon
Sauge et basilic
2 jaunes d'œufs
1 dl. de vin blanc
100 g. de fromage
Sel, poivre.
Pour accompagner :
1/2 l. de sauce tomate (p. 50)
100 g. de parmesan.

Faire revenir l'oignon haché au beurre. Ajouter la viande et le jambon coupés en dés, laisser dorer, saler, poivrer et mouiller de vin. Ajouter les herbes hachées et cuire 15 minutes à couvert. Laisser tiédir, puis passer les viandes au hachoir.

Incorporer au hachis les jaunes d'œufs et le fromage râpé.

Etendre la pâte au rouleau. Y découper des ronds de 5 cm. de diamètre. Placer 1 cuillère à café de farce au centre des ronds. Humecter le bord et replier en deux. Ramener (tordre) les deux extrémités du chausson l'une sur l'autre, les presser ensemble. Remonter les bords en forme de cornette.

Porter à ébullition 2 litres d'eau salée. Y jeter les tortellini, laisser cuire 15 minutes, égoutter et verser dans un plat. Napper de sauce tomate chaude et saupoudrer de parmesan râpé.

Tranches farcies

✗✗ ○

6 pers.
Prép. : 1 h. - Cuiss. : 30 mn.

---

500 g. de pâte fraîche (p. 6)
Farine
30 g. de beurre
10 cl. d'huile
1/2 l. de bouillon.

Farce :
800 g. de viande cuite (viande de pot-au-feu)
1 oignon, 1 gousse d'ail
Persil haché, sel, poivre
1 œuf.

Hacher finement la viande, l'oignon, l'ail et le persil. Y mélanger l'œuf, le sel et le poivre.

Etaler la pâte en une abaisse très fine. Recouvrir de farce en laissant les bords libres. Rouler le tout comme un "biscuit roulé". Humecter les bords pour les coller. Découper le rouleau en tranches de 3-4 cm. Les passer à la farine et les faire dorer des deux côtés dans l'huile et le beurre. Recouvrir ensuite de bouillon et laisser mijoter 30 minutes.

Servir, par exemple, avec une salade verte.

Soufflé de vermicelles

4 pers.
Prép. : 15 mn. - Cuiss. : 50 mn.

---

150 g. de vermicelles
30 g. de beurre
500 g. de fromage blanc
4 œufs
10 cl. de crème fraîche
50 g. de gruyère râpé
Sel, poivre.

Cuire les vermicelles 3 minutes dans de l'eau bouillante salée, les égoutter.

Mélanger le fromage blanc, la crème fraîche, les jaunes d'œufs, le gruyère, le sel et le poivre. Incorporer délicatement les blancs d'œufs montés en neige.

Verser dans un plat à gratin beurré. Mettre 45 minutes au four, th. 6.

Ficelles au lait

4 pers.
Prép. : 1 h. - Cuiss. : 30 mn. + 15 mn.
Repos : 1 h.

250 g. de farine
2 œufs
110 g. de beurre
1 pincée de sel
1/2 l. de lait
80 g. de sucre
20 g. de sucre vanillé pour saupoudrer.

Pour accompagner :
4 poires
1 jus de citron
1 verre de vin blanc
50 g. de sucre.

Disposer la farine en fontaine. Verser au centre les œufs battus, 30 g. de beurre légèrement fondu, le sel. Travailler pour obtenir une pâte ferme. La pétrir, puis la laisser reposer 30 minutes.

Prendre de petites quantités de pâte, les rouler sur le plan de travail avec la paume de la main pour obtenir de grosses "ficelles". Les couper en morceaux de 5 cm. de long, les laisser sécher sur un linge 30 minutes.

Faire bouillir le lait avec le sucre. Y jeter les pâtes et les laisser cuire jusqu'à ce qu'il n'y ait plus de lait. Faire frire les pâtes dans une poêle avec 80 g. de beurre. Saupoudrer de sucre vanillé. Peler et épépiner les poires. Les faire pocher 10-15 minutes dans le vin additionné d'un verre d'eau, de 50 g. de sucre et d'un jus de citron.

Egoutter les poires et les servir en accompagnement des pâtes.

Gâteau de nouilles

4 pers.
Prép. : 30 mn. - Cuiss. : 1 h.

250 g. de nouilles	*200 g. de confiture d'abricots*
3 œufs	*1/2 l. de lait*
75 g. de sucre	*30 g. de beurre.*
1 sachet de sucre vanillé	

Faire cuire les nouilles à feu doux dans le lait, jusqu'à ce que celui-ci soit complètement réduit, laisser tiédir.

Battre les jaunes d'œufs avec les sucres. Mélanger avec les nouilles. Verser dans un plat en porcelaine bien beurré, tasser. Mettre à cuire 20 minutes au four, th. 7.

Retirer le gâteau du four, le tartiner de confiture d'abricots et le recouvrir de blancs d'œufs montés en neige ferme. Remettre au four jusqu'à ce que la meringue soit dorée (environ 10 minutes).

Présenter le plat à table. Servir chaud découpé en portions comme un gâteau ordinaire.

Gratin de macaroni aux pommes

4 pers.
Prép. : 15 mn. - Cuiss. : 45 mn.

200 g. de bucatini
10 cl. de crème fraîche épaisse
500 g. de pommes acidulées
100 g. de sucre
100 g. de raisins secs
1 pincée de cannelle
20 g. de beurre pour le plat
1 cuil. à soupe de sel.

Peler, épépiner les pommes, les couper en morceaux. Les faire cuire 5 minutes avec 2 verres d'eau et 50 g. de sucre.

Cuire les pâtes 7 minutes à l'eau salée, les égoutter, puis les saupoudrer avec 50 g. de sucre.

Dans un plat à soufflé beurré verser par couches : la moitié des pâtes, les pommes égouttées, les raisins secs et le reste de pâtes.

Diluer la crème avec un peu de jus de cuisson des pommes, ajouter une pincée de cannelle. Verser sur les pâtes. Cuire 30 minutes au four, th. 7. Servir au sortir du four.

Soupe aux nouilles sucrée

4 pers.
Prép. : 15 mn. - Cuiss. : 15 mn.

1 l. de lait
100 g. de vermicelles
50 g. de noisettes
1 morceau de racine de gingembre
25 g. de beurre
80 g. de sucre
1 paquet de sucre vanillé
1 bâton de cannelle.

Faire bouillir le lait avec le beurre, les sucres, le gingembre et la cannelle. Y verser les vermicelles en pluie, laisser cuire doucement 7 minutes. Sortir les épices.

Faire griller les noisettes au four, les hacher et en saupoudrer la soupe. Servir très chaud.

Macédoine aux petites pâtes

4 pers.
Prép. : 30 mn. - Cuiss. : 5 mn.

---

150 g. de petites pâtes (annellini, étoiles...)
3 œufs
100 g. de sucre
1 banane
1 orange
1 kiwi
Quelques cerises confites.

Cuire les pâtes à l'eau bouillante, les égoutter. Travailler les jaunes d'œufs avec 80 g. de sucre.

Mélanger les pâtes, les jaunes d'œufs, les fruits coupés en dés et en remplir de petites coupes individuelles.

Monter les blancs d'œufs en neige très ferme, en ajoutant 20 g. de sucre à la fin. Mettre la meringue dans une poche à douille et en garnir les coupes. Décorer avec les cerises confites.

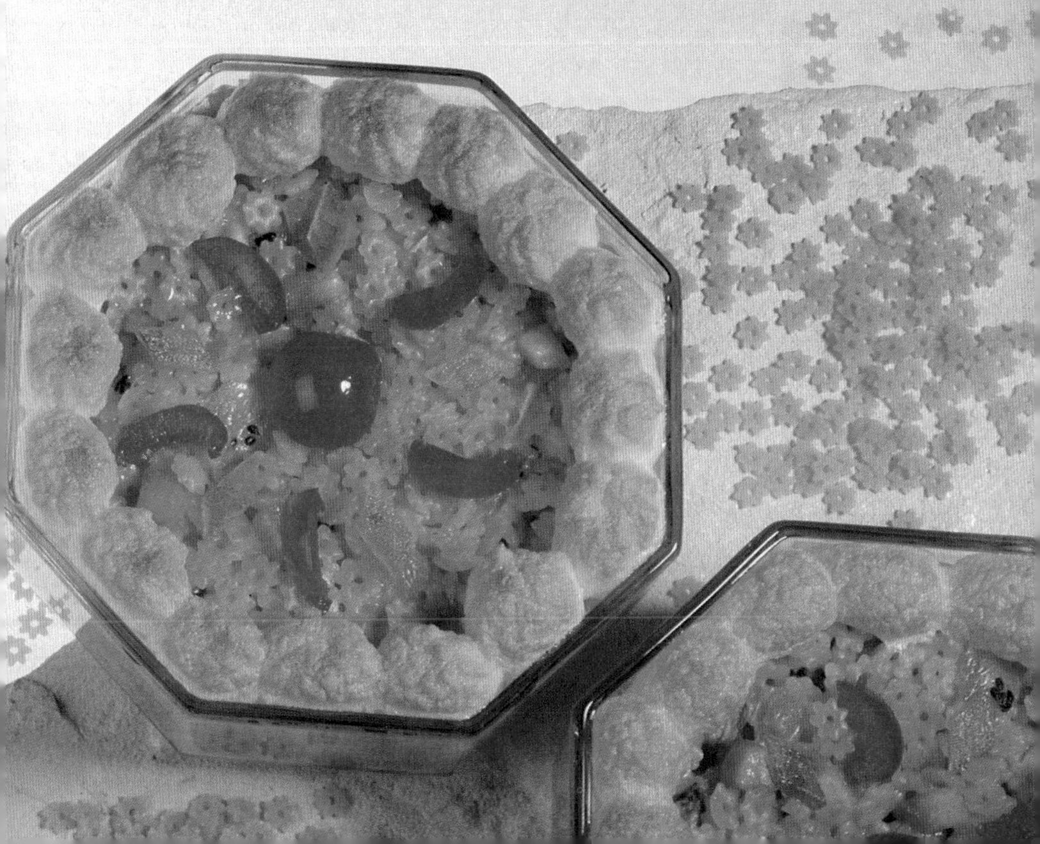

Mayonnaise au yaourt

4 pers.
Prép. : 15 mn.

---

1 jaune d'œuf	*200 g. de yaourt*
4 cuil. à café de moutarde	*Sel, poivre.*
1 cuil. à café de jus de citron	

Mélanger le jaune d'œuf, le sel, le poivre et la moutarde. Ajouter peu à peu le yaourt en tournant sans cesse comme pour une mayonnaise.

A la fin, incorporer quelques gouttes de jus de citron.

Cette sauce peut accompagner un reste de pâtes froides.

Sauce aux épinards

4 pers.
Prép. : 30 mn. - Cuiss. : 20 mn.

---

2 cuil. à soupe d'huile	*10 cl. de crème*
2 gousses d'ail	*15 cl. de bouillon*
750 g. d'épinards	*Sel, poivre, noix de muscade.*

Chauffer l'huile, y verser l'ail pilé et les épinards bien lavés. Mouiller avec le bouillon, saler, poivrer. Cuire à feu doux et à couvert 15 minutes. En fin de cuisson ajouter la crème, saupoudrer de muscade et passer la sauce au mixer avant de la servir bien chaude.

Sauce aux poireaux

4 pers.
Prép. : 15 mn. - Cuiss. : 30 mn.

---

200 g. de blancs de poireaux	*10 cl. de crème fraîche épaisse*
30 g. de beurre	*Sel, poivre.*

Nettoyer, laver les blancs de poireaux, puis les couper en fines rondelles. Les mettre à la poêle avec le beurre, laisser cuire 20 minutes à feu doux.

Passer au mixer. Remettre sur le feu, saler, poivrer. Y mélanger la crème. Servir chaud.

Sauce aux légumes

4 pers.
Prép. : 30 mn. - Cuiss. : 40 mn.

1 cuil. à soupe d'huile
30 g. de beurre
2 oignons
1 gousse d'ail
1/4 de céleri-rave
2 carottes
1 blanc de poireau
1/4 l. de bouillon instantané
2 cuil. à soupe de purée de tomates
1 cuil. à café de paprika doux
Sel, poivre.

Chauffer le beurre et l'huile.

Eplucher, hacher les oignons et la gousse d'ail. Les faire fondre dans la matière grasse.

Peler les légumes, les couper en julienne, les mettre avec le hachis ail-oignons, laisser mijoter 10 minutes. Mouiller de bouillon, ajouter la purée de tomates, le paprika, le sel et le poivre. Cuire à feu doux 20 minutes.

Sauce rouge aux échalotes

4 pers.
Prép. : 20 mn. - Cuiss. : 20 mn.

150 g. d'échalotes
20 g. + 50 g. de beurre
4 dl. de vin rouge
1 dl. de bouillon instantané
Sel, poivre.

Hacher finement les échalotes et les faire suer dans 20 g. de beurre. Mouiller avec le vin et le bouillon. Laisser cuire jusqu'à ce qu'il ne reste plus qu'1 dl. de sauce, saler, poivrer en fin de cuisson.

Incorporer le beurre à la sauce par petites quantités. Servir de suite.

Sauce aux tomates crues

4 pers.
Prép. : 30 mn.

---

10 cl. d'huile d'olive	*1 oignon*
600 g. de tomates	*Marjolaine et basilic frais*
3 gousses d'ail	*Sel, poivre.*

Ebouillanter les tomates pour pouvoir les peler plus facilement. Retirer les graines. Ecraser la chair à la fourchette. Ajouter les gousses d'ail pilées, l'oignon et les herbes hachés très fin, l'huile, le sel et le poivre. Passer au mixer. Servir froid.

Sauce tomate

4 pers.
Prép. : 30 mn. - Cuiss. : 50 mn.

---

500 g. de tomates mûres	*1 petit verre de câpres*
2 cuil. à soupe d'huile	*1 morceau de sucre*
1 oignon	*Sel, poivre*
50 g. de lard frais maigre	*Persil haché.*

Faire revenir le lard coupé en petits lardons et l'oignon émincé dans l'huile. Ajouter les tomates pelées, épépinées et coupées en morceaux, le sucre, le sel et le poivre. Cuire 30 minutes à couvert.

Verser les câpres dans une passoire, rincer sous l'eau courante. Verser dans la sauce, cuire encore 5 minutes. En fin de cuisson, parsemer de persil.

Les pizzas

Pâte à pizza

Pour 300 g. de pâte.
Prép. : 15 mn. - Repos : 40 mn.

250 g. de farine
1/2 dl. d'huile d'olive
1 verre d'eau tiède
Sel
20 g. de levure de boulanger.

Délayer la levure avec un peu de farine dans l'eau tiède. Laisser lever 10 minutes.

Disposer le reste de la farine et le sel en fontaine. Verser le levain et l'huile. Mélanger puis travailler énergiquement la pâte pendant 10 minutes. La laisser reposer couverte d'un linge dans un endroit tiède jusqu'à ce qu'elle ait doublé de volume.

ou

Pour 300 g. de pâte.
Prép. : 15 mn. - Repos : 30 mn.

20 g. de levure de boulanger
4 cuil. à soupe de lait
200 g. de farine
1 pincée de sel
1 œuf
60 g. de beurre.

Mélanger la levure délayée dans le lait tiède et un peu de farine. Laisser lever. Ajouter ensuite l'œuf battu et le beurre fondu.

Verser ce mélange sur la farine et le sel en fontaine. Mélanger jusqu'à obtention d'une pâte souple qui se détache. La pétrir.

La couvrir d'un linge et la laisser doubler de volume dans un endroit tiède.

Calzone al ovo

4 pers.
Prép. : 20 mn. - Cuiss. : 45 mn.

---

300 g. de pâte à pizza (p. 52)
300 g. de tomates mondées
100 g. d'oignons
4 œufs
50 g. de mozzarella
Sel, poivre
Quelques olives noires
Origan
Huile d'olive.

Faire fondre les oignons émincés dans un peu d'huile d'olive. Ajouter les tomates épépinées et coupée en morceaux et l'origan. Assaisonner. Laisser cuire 20 minutes.

Abaisser la pâte en cercle. En garnir la moitié avec la sauce tomate (en réserver une louche), les olives et la mozzarella. Casser les œufs délicatement sur la préparation. Replier la pâte comme un chausson. Souder les bords. Faire cuire 25 minutes à four th. 7. Servir nappé de la sauce tomate réservée.

Pizza au fromage frais

4 pers.
Prép. : 20 mn. - Cuiss. : 25 mn.

---

300 g. de pâte à pizza (p. 52)	*2 échalotes*
300 g. de fromage blanc	*25 g. de beurre*
Fines herbes (persil, cerfeuil, ciboulette...)	*25 g. de farine*
Sel, poivre	*1 verre de lait*
	3 œufs.

Faire un roux blond avec le beurre et la farine. Ajouter le lait et faire épaissir en remuant. Hors du feu, ajouter les œufs battus, le fromage blanc, les herbes et les échalotes hachées. Saler, poivrer.

Abaisser la pâte, la garnir et la mettre à cuire de suite à four chaud, th. 7, pendant 20 minutes.

Pizza aux fruits de mer

6 pers.
Prép. : 30 mn. - Cuiss. : 35 mn.

---

300 g. de pâte à pizza (p. 52)
25 cl. de pulpe de tomate salée
1/2 l. de moules
100 g. de crevettes décortiquées
10 olives noires
100 g. de mozzarella
Herbes de Provence
1/2 verre de vin blanc
Huile d'olive.

Ouvrir les moules avec le vin blanc sur feu vif. Les sortir des coquilles.

Abaisser la pâte. Répartir la pulpe, les fines tranches de mozzarella, les moules, les crevettes et les olives..

Saupoudrer d'herbes de Provence et arroser d'un filet d'huile. Faire cuire 30 minutes, th. 7.

Pizza au chorizo

4 pers.
Prép. : 20 mn. - Cuiss. : 30 mn.

300 g. de pâte à pizza (p. 52)
6 tomates
3 oignons
12 olives noires
4 tranches de jambon cuit
10 tranches de chorizo
50 g. de mozzarella
Herbes de Provence
5 cl. d'huile d'olive
Sel, poivre.

Couper les tomates mondées et épépinées en rondelles. Abaisser la pâte. La garnir avec les rondelles de tomates, saler, ajouter les oignons émincés, les olives, le jambon en dés et les tranches de chorizo.

Poivrer, saupoudrer d'herbes de Provence et de mozzarella. Arroser d'un filet d'huile et faire cuire 30 minutes à four chaud, th. 7.

Pizza capriciosa

4 pers.
Prép. : 25 mn. - Cuiss. : 35 mn.

300 g. de pâte à pizza (p. 52)
300 g. de jambon cuit coupé en tranches fines
4 tranches fines de mozzarella
300 g. de champignons
1 gousse d'ail
1 verre de vin blanc
Sel
1 cuil. à soupe d'huile d'olive
6 tomates.

Faire cuire les champignons et l'ail émincés avec 1 cuillerée d'huile et le vin blanc pendant 15 minutes. Saler.

Abaisser la pâte. Disposer les tomates en rondelles, les lamelles de jambon, les champignons et la mozzarella. Assaisonner.

Passer à four chaud, th. 7, une vingtaine de minutes.

Pizza aux œufs

4 pers.
Prép. : 15 mn. - Cuiss. : 25 mn.

---

300 g. de pâte à pizza (p. 52)	*1 cuil. à café de marjolaine*
4 anchois salés	*4 œufs*
300 g. de mozzarella	*Huile*
200 g. de tomates pelées	*Sel.*

Abaisser la pâte. Y répartir les tomates en rondelles, le fromage coupé en petits morceaux et les anchois. Saupoudrer de marjolaine. Saler.

Arroser d'huile et faire cuire 20 minutes à four th. 7.

Casser les œufs sur la pizza. La repasser 5 minutes au four.

Pizza des 4 saisons

4 pers.
Prép. : 20 mn. - Cuiss. : 25 mn.

---

300 g. de pâte à pizza (p. 52)
5 tomates
200 g. de champignons
Olives noires
4 filets d'anchois
2 cœurs d'artichauts
6 rondelles de salami
Huile d'olive
Herbes de Provence
100 g. d'emmenthal
1 gousse d'ail
Sel.

Nettoyer et émincer les champignons. Les faire sauter 15 minutes avec un peu d'huile d'olive et l'ail haché. Saler.

Réduire les tomates mondées et épépinées en purée. Abaisser la pâte. La disposer sur une tôle huilée. Y répartir la purée de tomates tiédie. Répartir séparément sur chaque quart les champignons, le salami avec les olives vertes, les fonds d'artichauts émincés et enfin les filets d'anchois et les olives noires.

Saupoudrer d'emmenthal râpé, d'herbes de Provence et arroser d'huile. Passer 10 minutes à four th. 9.

Pizza forestière

4 pers.
Prép. : 20 mn. - Cuiss. : 1 h 20 mn.

---

300 g. de pâte à pizza (p. 52)
200 g. de champignons de Paris
4 tomates
1 oignon
5 cuil. à soupe d'huile
25 g. de beurre
1 gousse d'ail
1 bouquet garni
50 g. de mozzarella
Sel, poivre.

Faire fondre les tomates mondées et épépinées dans la moitié de l'huile avec l'oignon et l'ail hachés. Ajouter le bouquet garni, assaisonner. Laisser mijoter 3/4 d'heure.

Enlever le bouquet garni, passer le reste à la moulinette. Abaisser la pâte, répartir la préparation, disposer les champignons émincés et sautés au beurre, répartir la mozzarella.

Arroser d'un peu d'huile d'olive. Enfourner à four chaud, th. 7, 35 minutes.

Pizza marguerite

4 pers.
Prép. : 20 mn. - Cuiss. : 20 mn.

---

300 g. de pâte à pizza (p. 52)
300 g. de tomates
5 tranches fines de mozzarella
2 oignons
Origan
Huile d'olive
Sel.

Abaisser la pâte. La garnir avec les tomates mondées, coupées en rondelles et salées, les oignons en rondelles et les tranches de mozzarella.

Arroser d'un filet d'huile et saupoudrer d'origan. Cuire à four chaud (Th. 7) environ 20 minutes.

Pizza napolitaine

4 pers.
Prép. : 20 mn. - Cuiss. : 35 mn.

---

300 g. de pâte à pizza (p. 52)
2 oignons
2 cuil. à soupe d'huile d'olive
500 g. de tomates
2 gousses d'ail
Thym
Sel, poivre
100 g. de gruyère râpé
Quelques anchois
Olives noires.

Faire blondir les oignons émincés dans l'huile, ajouter les tomates mondées et épépinées, l'ail haché et les épices. Laisser mijoter 5 minutes à découvert.

Abaisser la pâte. Replier le bord par en-dessous de manière à former un bourrelet. La huiler avec un pinceau.

Etaler la préparation tiédie sur la pâte. Saupoudrer de fromage râpé, garnir d'anchois et d'olives noires. Arroser d'un filet d'huile.

Passer 30 minutes à four chaud (Th. 7).

Pizza tarentella

4 pers.
Prép. : 15 mn. - Cuiss. : 25 mn.

300 g. de pâte à pizza (p. 52)
Une vingtaine de petites saucisses cocktail
200 g. de viande hachée
200 g. de purée de tomates
100 g. de parmesan râpé
3 cuil. à soupe d'huile d'olive
100 g. d'olives.

Abaisser la pâte. La badigeonner avec de l'huile. Y répartir la viande, la purée de tomates, les saucisses et les olives. Saupoudrer de parmesan. Arroser d'un filet d'huile et mettre à four chaud th. 7, 25 minutes.

TABLE DES RECETTES

Pages

Les pâtes

Les sauces

Les pizzas

Dépôt légal 2e trim. 1989 - Imp. n° 1 613

ISBN 2-7372-2512-4

Imprimé en C.E.E.